CW00431269

Le petit livre

COQUILLETTES

BRIGITTE NAMOUR

PHOTOGRAPHIES DE LUCIE CIPOLLA

MARABOUT

SOMMAIRE

BON À SAVOIR

100 g DE COQUILLETTES CRUES = ENVIRON 250 g DE COQUILLETTES CUITES, À DOSER ENSUITE SELON LES APPÉTITS !

KIT SAUCES ROUGES

POUR 4 PERSONNES

TOMATE + CRÈME PRÉPARATION & CUISSON : 6 MIN
800 g de coquillettes cuites, 60 cl de coulis de
tomates, 20 cl de crème fraîche liquide, 20 tomates
confites à l'huile, 60 g de parmesan, sel, poivre

1- Chauffer : coulis de tomates + crème fraîche.
2- Ajouter et réchauffer : coquillettes + sel + poivre.
3- Servir avec : tomates en petits morceaux
+ copeaux de parmesan.

TOMATE + PIMENT PRÉPARATION & CUISSON : 6 MIN
800 g de coquillettes cuites, 600 g de tomates
en boîte, 2 échalotes hachées, 1 brin de thym, 1 c. à s.
de concentré de tomates, 3 c. à s. d'huile d'olive, sel,
piment d'Espelette

1- Faire revenir dans l'huile et laisser réduire :
échalotes + tomates + concentré + thym.
2- Ajouter et réchauffer : coquillettes + sel + piment.
3- Servir avec : piment à volonté.

TOMATE + CÂPRES PRÉPARATION & CUISSON : 10 MIN
800 g de coquillettes cuites, 1,5 kg de tomates,
100 g de câpres, 2 gousses d'ail, 1 oignon, 2 c. à s.
de ketchup, 3 c. à s. de jus de citron, 8 c. à s. d'huile
d'olive, sel, poivre

1- Mixer en vinaigrette : 1 tomate mondée + ail
+ oignon + ketchup + citron + 1 pincée de sel + huile.
2- Couper en dés : autres tomates.
3- Servir : coquillettes + vinaigrette + tomates + câpres.

KIT SAUCES BLANCHES

CRÈME + AIL + CITRON PRÉPARATION & CUISSON : 10 MIN
800 g de coquillettes cuites, 2 citrons non traités,
4 yaourts nature, 3 gousses d'ail, 4 c. à s. d'huile d'olive,
sel, poivre au moulin

1- Prélever : zestes + jus des citrons.
2- Fouetter : yaourts + zestes + jus des citron
+ ail haché + huile + sel + poivre.
3- Servir : coquillettes + sauce.

TROIS FROMAGES PRÉPARATION & CUISSON : 6 MIN
800 g de coquillettes cuites, 100 g de gorgonzola, 100 g
de mascarpone, 100 g de parmesan râpé, 40 cl de lait,
sel, poivre au moulin

1- Faire fondre et mélanger : lait + gorgonzola
en morceaux + mascarpone + sel + poivre.
2- Réchauffer : coquillettes cuites + sauce.
3- Servir avec : parmesan râpé.

CRÈME D'ARTICHAUTS PRÉPARATION & CUISSON : 10 MIN
600 g de coquillettes cuites, 400 g de fond d'artichauts
cuits, 10 cœurs d'artichauts cuits, 3 portions de La vache
qui rit®, 50 cl de crème fraîche liquide, 1 bouquet de
ciboulette, sel, poivre au moulin

1- Mixer : moitié des fonds d'artichauts égouttés
+ 5 cl de crème fraîche.
2- Chauffer : mélange mixé + La vache qui rit®
+ reste de crème fraîche + coquillettes.
3- Servir avec : cœurs d'artichauts + fonds d'artichauts
restants + ciboulette ciselée.

KIT BEURRES PARFUMÉS

Préparés à l'avance, les beurres parfumés se conservent quelques jours au réfrigérateur et permettent de métamorphoser les coquillettes nature en délicieux petits plats !

BEURRE CURRY

PRÉPARATION : 6 MIN - REPOS : 2 H

300 g de coquillettes crues, 100 g de beurre mou, 1 cuillerée à soupe de curry en poudre, quelques gouttes de Tabasco, 1 bouquet de coriandre fraîche, sel

1- Malaxer : beurre mou + curry + Tabasco + sel. Former un boudin.
2- Réserver au réfrigérateur : 2 heures dans film alimentaire.
3- Cuire : coquillettes.
4- Servir : coquillettes + sel + coriandre ciselée + beurre au curry.

POUR 4 PERSONNES

BEURRE BACON

PRÉPARATION & CUISSON : 10 MIN - REPOS : 2 H

300 g de coquillettes crues, 150 g de bacon, 100 g de beurre mou, 1 c. à s. de crème fraîche, sel, poivre au moulin

1- Griller à sec : bacon.
2- Mixer : bacon + crème fraîche.
3- Malaxer : beurre mou + crème au bacon Réserver au frais pendant au moins 2 heures.
4- Cuire : coquillettes.
5- Mélanger : coquillettes + beurre au bacon.
6- Servir avec : poivre au moulin.

BEURRE BASILIC

PRÉPARATION & CUISSON : 8 MIN

800 g de coquillettes cuites, 170 g de beurre, 1 yaourt nature, 1 bouquet de basilic, 1 gousse d'ail, sel, poivre

1- Faire fondre : beurre.
2- Mixer : basilic + ail + yaourt + sel + poivre.
3- Incorporer : purée de basilic + beurre. La sauce ne doit pas bouillir.
4- Servir : coquillettes cuites encore chaudes + sauce + basilic ciselé.

KIT BOUILLONS ET SOUPES

Une idée toute simple pour compléter ou égayer la soupe !

VELOUTÉ DE TOMATES

PRÉPARATION & CUISSON : 8 MIN

250 g de coquillettes cuites, 60 cl de coulis de tomates, 30 cl de bouillon de légumes, 1 brin de thym, 4 c. à s. de ricotta, sel, poivre au moulin

1- Porter à ébullition 5 minutes : coulis de tomates + bouillon + thym.
2- Ajouter et réchauffer : coquillettes.
3- Servir avec : 1 c. à s. de ricotta par assiette + sel + poivre.

MOULINÉE DE LÉGUMES

PRÉPARATION & CUISSON : 5 MIN

250 g de coquillettes cuites, 1 litre de moulinée de légumes, 1 c. à c. de cumin en poudre, sel, poivre au moulin

1- Chauffer : soupe de légumes + coquillettes cuites.
2- Ajouter et mélanger : cumin, sel, poivre.
3- Servir.

POUR 4 PERSONNES

BOUILLON DE VOLAILLE

PRÉPARATION & CUISSON : 12 MIN

150 g de coquillettes crues, 1 l de bouillon de volaille, 2 échalotes, huile, sel, poivre au moulin

1- Faire revenir dans l'huile 10 minutes : échalotes hachées.
2- Ajouter : un peu de bouillon, pour que cela n'attache pas.
3- Ajouter et faire bouillir : reste de bouillon.
4- Verser et cuire 8 minutes : coquillettes.
5- Servir avec : sel + poivre.

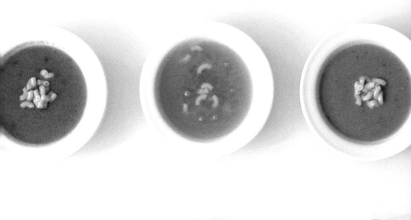

KIT FROMAGE CROQUANT

Quelques associations gourmandes pour satisfaire tous les amateurs de fromage !

ROQUEFORT NOISETTES GRILLÉES

PRÉPARATION & CUISSON : 10 MIN

700 g de coquillettes cuites, 150 g de roquefort, 20 cl de crème fraîche, 100 g de noisettes, sel, poivre au moulin

1- Concasser et griller à la poêle : noisettes.
2- Réchauffer : coquillettes.
3- Ajouter : roquefort émietté + crème fraîche + poivre.
4- Chauffer doucement.
5- Servir avec : noisettes grillées.

CAMEMBERT AMANDES GRILLÉES

PRÉPARATION & CUISSON : 12 MIN

300 g de coquillettes crues, 1 camembert, 20 cl de crème fraîche, 100 g d'amandes effilées, sel, poivre au moulin

1- Griller à la poêle : amandes.
2- Couper en morceaux : camembert, sans la croûte.
3- Réchauffer : coquillettes.
4- Faire fondre : camembert + crème.
5- Mélanger : coquillettes + crème camembert + sel + poivre.
6- Servir avec : amandes grillées.

POUR 4 PERSONNES

COMTÉ NOIX

PRÉPARATION & CUISSON : 10 MIN

700 g de coquillettes cuites, 150 g de comté, 100 g de cerneaux de noix, 6 c. à s. d'huile de noix, sel, poivre au moulin

1- Râper : comté.
2- Réchauffer : coquillettes + huile de noix.
3- Servir avec : comté râpé + cerneaux de noix concassés.

KIT RÖSTI

Adieu pommes de terre, ici les rösti se font avec des coquillettes ! Des petites galettes parfaites en accompagnement ou pour le pique-nique.

POUR 4 PERSONNES

RÖSTI COQUILLETTES PETITS LÉGUMES BASILIC

PRÉPARATION & CUISSON : 10 MIN

200 g de coquillettes cuites, 250 g de julienne de légumes décongelée, 1 c. à s. de Maïzena, 5 cl de crème fraîche, 1 œuf, 50 g de parmesan, 1 c. à s. de pesto, 4 c. à s. de basilic frais ciselé, sel, poivre

1- Diluer : Maïzena + crème fraîche.
2- Ajouter : pesto + sel + poivre.
3- Ajouter en fouettant : œuf + légumes + coquillettes + parmesan + basilic.
4- Chauffer dans une poêle : 2 c. à s. d'huile.
5- Former : petits tas de pâtes dans la poêle. Cuire : rösti, chaque face 2 minutes.
6- Servir : chaud, tiède ou froid.

RÖSTI COQUILLETTES BOURSIN

PRÉPARATION & CUISSON : 10 MIN

200 g de coquillettes cuites, 1 Boursin, 1 c. à s. de Maïzena, 2 c. à s. de lait, 1 œuf, 50 g de fromage râpé, sel, poivre

1- Diluer : Maïzena + lait.
2- Ajouter et mélanger : œuf + Boursin + coquillettes + fromage râpé + sel + poivre.
3- Chauffer dans une poêle : 2 c. à s. d'huile.
4- Former : petits tas de pâtes dans la poêle. Cuire : rösti, chaque face 2 minutes.
5- Servir : chaud ou froid.

RÖSTI COQUILLETTES THON CURRY

PRÉPARATION & CUISSON : 10 MIN

200 g de coquillettes cuites, 200 g de thon au naturel en boîte émietté, 1 c. à s. de Maïzena, 5 cl de lait de coco, 1 œuf, 1 c. à s. de curry en poudre, 4 c. à s. de coriandre ciselée, sel

1- Diluer : Maïzena + lait de coco
2- Ajouter : curry + sel.
3- Ajouter en fouettant : œuf + coquillettes + thon + coriandre.
4- Chauffer dans une poêle : 2 c. à s. d'huile.
5- Former : petits tas de pâtes dans la poêle. Cuire : rösti, chaque face 2 minutes.
6- Servir avec : quartiers de citron vert.

KIT GRATIN

Pour les gratins de coquillettes, il suffit d'ouvrir le réfrigérateur :
tous les ingrédients s'y trouvent !

POUR 4 PERSONNES

LAIT GRUYÈRE RÂPÉ

PRÉPARATION & CUISSON : 12 MIN

300 g de coquillettes crues, 1 litre de lait,
20 cl de crème fraîche liquide, 100 g
de gruyère râpé, 1 c. à c. de 4-épices, 20 g
de beurre, sel, poivre au moulin

1- Mélanger : lait + 1 litre d'eau.
2- Cuire 8 minutes : coquillettes.
3- Mélanger : coquillettes + crème + moitié
du fromage + 4-épices + sel + poivre.
4- Préchauffer : gril du four.
5- Mélanger et verser dans plat à gratin
beurré : coquillettes.
6- Couvrir avec : gruyère râpé + noisettes
de beurre.
7- Faire dorer au four.

JAMBON EMMENTAL RÂPÉ

PRÉPARATION & CUISSON : 10 MIN

400 g de coquillettes cuites, 200 g de
jambon cru de montagne, 100 g d'emmental
râpé, 2 c. à s. de crème fraîche épaisse, 30 g
de beurre, huile d'olive, sel, poivre au moulin

1- Préchauffer : gril du four.
2- Couper en lamelles : jambon.
3- Mélanger et verser dans ce plat à gratin
beurré : jambon + coquillettes + un peu
d'huile + sel + poivre.
4- Couvrir avec : crème fraîche + emmental
râpé + noisettes de beurre.
5- Faire dorer au four.

TOMATE PARMESAN RÂPÉ

PRÉPARATION & CUISSON : 10 MIN

400 g de coquillettes cuites, 400 g de pulpe
de tomates égouttées, 150 g de parmesan,
40 g de chapelure, 2 c. à s. de tapenade,
2 c. à c. d'origan, huile d'olive, sel, poivre

1- Préchauffer : gril du four.
2- Mélanger tapenade + pulpe de tomates
+ 2 c. à s. de parmesan râpé + sel + poivre.
3- Mélanger et verser dans plat à gratin
beurré : sauce tomate + coquillettes cuites.
4- Couvrir avec : mélange chapelure
+ parmesan + origan + filet d'huile d'olivre.
5- Faire dorer au four.

VERRINE SAUMON CRU & GINGEMBRE

15 MIN DE PRÉPARATION - 30 MIN DE REPOS

POUR 4 PERSONNES

200 g de coquillettes
cuites

300 g de saumon cru
(pavé sans la peau)

½ concombre

50 g de gingembre
en saumure (en épicerie
asiatique)

2 cuillerées à soupe
de vinaigre de riz
(en épicerie asiatique)

1 cuillerée à café d'huile
de sésame

2 cuillerées à soupe
d'huile neutre (type colza
ou tournesol)

2 cuillerées à soupe
de graines de sésame

sauce soja

wasabi

1 - Dans un saladier, mélanger une pointe de wasabi (attention,
ça pique fort !) avec une cuillerée à café de sauce soja,
le vinaigre de riz, l'huile de sésame et l'huile neutre.

2 - Laver et essuyer le concombre. Couper des tronçons
puis des bâtonnets en gardant la peau.

3 - Mélanger les coquillettes, les bâtonnets de concombre
et les graines de sésame dans le saladier. Mélanger et réserver
au frais au moins 30 minutes.

4 - Rincer et essuyer le pavé de saumon. À l'aide d'un bon
couteau, le découper en fines lamelles (type sashimi).

5 - Répartir les coquillettes dans huit verrines. Recouvrir
de gingembre et répartir les tranches de saumon. Décorer
d'une miette de wasabi.

6 - Arroser d'un trait de sauce soja et servir deux verrines
par personne avec sauce soja et gingembre à volonté.

TORTILLA DE COQUILLETTE HERBES FRAÎCHES

10 MIN DE PRÉPARATION - 8 MIN DE CUISSON

POUR 4 PERSONNES

200 g de coquillettes cuites

8 œufs

1 bouquet de ciboulette

½ bouquet de cerfeuil

½ bouquet de coriandre fraîche

1 échalote

huile d'olive

sel, poivre au moulin

1- Dans un saladier, battre les œufs avec une pincée de sel et donner quelques tours de poivre au moulin.

2- Ciseler les herbes fraîches et en ajouter la moitié aux œufs battus. Incorporer les coquillettes cuites, puis mélanger.

3- Faire blondir l'échalote épluchée et hachée dans une poêle avec deux cuillerées à soupe d'huile.

4- Mettre sur feu vif et verser le mélange œufs coquillettes. Rabattre les bords à la cuillère en bois régulièrement pendant la cuisson.

5- Quand les œufs sont cuits, retourner l'omelette à l'aide d'une assiette et cuire l'autre face.

6- Servir chaud, parsemé du reste d'herbes fraîches.

ŒUFS COCOTTE AU JAMBON

10 MIN DE PRÉPARATION - 15 À 20 MIN DE CUISSON

POUR 4 PERSONNES

150 g de coquillettes
cuites
4 œufs
4 cuillerées à soupe
de crème fraîche épaisse
150 g de jambon cru
(soit une tranche épaisse)
60 g de comté
25 g de beurre
sel, poivre au moulin

1 - Couper le jambon en dés.
2 - Mélanger les coquillettes avec le jambon et le comté râpé.
Assaisonner avec modération car le jambon est déjà assez
salé.
3 - Déposer une noix de beurre dans quatre ramequins
et répartir les coquillettes au jambon et au comté.
4 - Casser un œuf dessus. Couvrir d'une cuillerée de crème
fraîche. Assaisonner légèrement.
5 - Placer les ramequins couverts d'une feuille d'aluminium
dans une grande casserole d'eau frémissante pour les cuire
au bain-marie. L'eau ne doit pas bouillir, juste frémir.
6 - Quand le blanc des œufs est pris, sortir les ramequins
délicatement et servir immédiatement.

SALADE DE HARICOTS VERTS & CACAHUÈTES

15 MIN DE PRÉPARATION - 6 MIN DE CUISSON

POUR 4 PERSONNES

200 g de coquillettes
crues

300 g de haricots verts
frais

50 g de cacahuètes
grillées non salées

1 cuillerée à café
de beurre de cacahuètes

2 cuillerées à soupe
de jus de citron

6 cuillerées à soupe
d'huile de cacahuètes
grillées

1 grosse pincée
de piment rouge

1 bouquet de cerfeuil

sel

1- Porter une grande casserole d'eau salée à ébullition
et cuire les coquillettes le temps indiqué sur le paquet.

2- Équeuter les haricots verts, les laver et les plonger
dans une casserole d'eau bouillante salée. Ils doivent être
« al dente », soit une cuisson d'environ 6 minutes après
la reprise de l'ébullition.

3- Dans un saladier, mélanger le beurre de cacahuètes avec
le jus de citron et le piment. Saler. Ajouter l'huile et fouetter.

4- Égoutter les haricots verts. Les couper en morceaux
et les mélanger à la vinaigrette. Ajouter les coquillettes.

5- Concasser grossièrement les cacahuètes grillées. Parsemer
la salade de cacahuètes grillées et de cerfeuil ciselé.

6- Servir tiède ou froid.

SALADE DE COURGETTES MENTHE & PIGNONS

15 MIN DE PRÉPARATION - 3 À 4 H DE REPOS

POUR 4 PERSONNES

300 g de coquillettes cuites

2 petites courgettes

1 bouquet de menthe fraîche

1 crottin de Chavignol sec

60 g de pignons de pin

jus de 2 citrons

1 gousse d'ail

1 cuillerée à soupe de pesto

½ bouquet de persil plat

4 cuillerées à soupe d'huile d'olive sel, poivre au moulin

1- Laver et essuyer les courgettes puis les couper en bâtonnets sans les éplucher. Ciseler la menthe en réservant quelques feuilles pour la décoration.

2- Placer les courgettes dans un grand plat creux. Presser la gousse d'ail par-dessus, saler et poivrer. Arroser du jus des citrons et parsemer de menthe.

3- Mélanger et couvrir d'un film alimentaire. Réserver au frais 3 à 4 heures.

4- Au moment de servir, égoutter les courgettes en réservant la moitié de la marinade. Mélanger les courgettes et les coquillettes.

5- Diluer le pesto avec la moitié de la marinade dans un bol. Ajouter l'huile d'olive, saler et poivrer. Verser cette sauce sur les coquillettes aux courgettes et mélanger.

6- Parsemer de pignons de pin grillés, de copeaux de chèvre, de persil plat et de menthe fraîche ciselés.

SALADE SARDINES CUMIN & CITRON

15 MIN DE PRÉPARATION - 8 À 10 MIN DE CUISSON

POUR 4 PERSONNES

250 g de coquillettes crues

1 boîte de sardines à l'huile d'olive

2 citrons

2 cuillerées à soupe de graines de cumin

1 gousse d'ail

4 cuillerées à soupe d'huile d'olive

une poignée d'olives noires niçoises

une poignée de roquette

sel, poivre au moulin

1 - Porter une grande casserole d'eau salée à ébullition avec un citron coupé en rondelles. Quand l'eau bout y plonger les coquillettes, remuer et cuire le temps indiqué sur le paquet.

2 - Prélever le zeste du second citron et le presser.

3 - Écraser grossièrement les sardines à la fourchette et ajouter le zeste de citron.

4 - Laver et essorer la roquette.

5 - Mettre les coquillettes égouttées dans un saladier et les arroser de jus de citron. Ajouter les graines de cumin, saler et poivrer, bien mélanger.

6 - Presser la gousse d'ail au presse-ail sur les coquillettes et ajouter l'huile d'olive. Mélanger et laisser refroidir.

7 - Au moment de servir, ajouter la roquette, mélanger puis répartir les sardines écrasées et parsemer d'olives noires.

SOUPE DE CAROTTES POIS CHICHES & RAISINS

20 MIN DE PRÉPARATION - 30 MIN DE REPOS - 30 MIN DE CUISSON

POUR 4 PERSONNES

100 g de coquillettes cuites

600 g de carottes

1 oignon

1 gousse d'ail

50 g de pois chiches cuits

50 g de raisins secs blonds

½ bouquet de persil plat

1 cuillerée à café de fond de veau

1 cuillerée à soupe de cumin en poudre

huile d'olive

sel, poivre au moulin

1- Placer les raisins secs dans un bol et les couvrir d'eau tiède. Les laisser gonfler 30 minutes minimum.

2- Éplucher les carottes et les couper en rondelles.

3- Éplucher et hacher l'oignon.

4- Diluer le fond de veau dans 50 cl d'eau chaude.

5- Mettre l'oignon à blondir dans une cocotte avec 3 cuillerées à soupe d'huile d'olive.

6- Ajouter les carottes coupées en rondelles. Mouiller avec le bouillon et cuire 30 minutes.

7- Dans un bol, mélanger le cumin et la gousse d'ail écrasée au presse-ail avec 2 cuillerées à soupe d'huile d'olive. Ajouter les pois chiches et les raisins secs égouttés. Mélanger puis incorporer les coquillettes, assaisonner. Parsemer généreusement de persil plat ciselé.

8- Quand les carottes sont tendres, les mixer dans le bouillon hors du feu. Rectifier l'assaisonnement si besoin et réchauffer à feu doux.

9- Répartir le mélange coquillettes-pois chiches-raisins secs en dôme dans quatre assiettes creuses et servir la soupe de carottes en soupière à part. Chacun arrosera ses coquillettes comme il le souhaite.

VELOUTÉ DE CHAMPIGNONS AIL & PIMENT

15 MIN DE PRÉPARATION - 25 MIN DE CUISSON

POUR 4 PERSONNES

150 g de coquillettes
cuites
500 g de champignons
de Paris en boîte
2 échalotes
15 cl de crème liquide
1 portion de La vache
qui rit®
3 gousses d'ail
1 bouillon cube
de volaille
1 tranche de pain
de campagne
huile d'olive
piment d'Espelette
sel

1- Éplucher et hacher finement les échalotes et 2 gousses d'ail.
Les faire blondir dans une cocotte avec 2 cuillerées à soupe
d'huile d'olive.
2- Diluer le bouillon cube dans 45 cl d'eau chaude.
3- Égoutter et rincer les champignons. Les couper
en morceaux puis les ajouter aux échalotes et à l'ail. Saler
et pimenter. Laisser dorer quelques minutes puis mouiller avec
le bouillon. Cuire 20 minutes à feu doux.
4- Mixer hors du feu, puis ajouter La vache qui rit® et la crème.
Chauffer sur feu doux puis incorporer les coquillettes. Rectifier
l'assaisonnement si besoin.
5- Faire griller la tranche de pain, la frotter avec la dernière
gousse d'ail puis la réduire en chapelure de façon grossière.
6- Parsemer la soupe de chapelure de pain à l'ail et saupoudrer
de piment. Servir chaud.

COQUILLETTES SAUCE ROSE JAMBON & CIBOULETTE

15 MIN DE PRÉPARATION - 8 À 10 MIN DE CUISSON

POUR 4 PERSONNES

300 g de coquillettes
crues
200 g de jambon de Paris
15 cl de crème fraîche
½ botte de ciboulette
sel, poivre au moulin

1- Porter une grande casserole d'eau salée à ébullition et mettre les coquillettes à cuire le temps indiqué sur le paquet.
2- Pendant ce temps, placer le jambon coupé en morceaux dans le bol du robot avec la crème fraîche, puis mixer en une crème lisse.
3- Verser cette crème dans une casserole et chauffer à feu doux en remuant le temps que la crème épaississe.
4- Égoutter soigneusement les coquillettes et les verser dans la crème de jambon. Saler et poivrer. Parsemer de ciboulette ciselée, mélanger et servir bien chaud.

COQUILLETTES À LA BOLOGNAISE

15 MIN DE PRÉPARATION - 20 MIN DE CUISSON

POUR 4 PERSONNES

300 g de coquillettes
crues

300 g de viande hachée

500 g de pulpe de
tomates

1 oignon

1 feuille de laurier

2 cuillerées à soupe
de vin blanc sec

3 cuillerées à soupe
d'huile d'olive

1 cuillerée à soupe
de concentré de tomates

sel, poivre au moulin

1- Porter une grande casserole d'eau salée à ébullition et
y plonger les coquillettes. Cuire le temps indiqué sur le paquet.

2- Pendant ce temps, éplucher et hacher l'oignon. Le mettre
à blondir dans une poêle avec 3 cuillerées à soupe d'huile
d'olive.

3- Mouiller avec le vin blanc, mélanger et laisser le vin
s'évaporer environ 1 minute. Ajouter la viande hachée
et remuer à la fourchette.

4- Verser la boîte de pulpe de tomates sur la viande. Ajouter
la feuille de laurier et le concentré de tomates. Assaisonner.
Mélanger et cuire à petit feu. La sauce doit épaissir.

5- Quand les coquillettes sont cuites et la sauce réduite,
tout mélanger.

6- Servir avec de l'emmental râpé par exemple.

COQUILLETTES AU POULET RÔTI & PETITS POIS

20 MIN DE PRÉPARATION - 5 MIN DE CUISSON

POUR 4 PERSONNES

250 g de coquillettes crues

1 poulet rôti chaud (chez le traiteur ou le rôtisseur)

25 cl de jus de poulet rôti (chez le traiteur ou le rôtisseur)

200 g de petits pois surgelés, type Garden Peas de préférence

sel, poivre au moulin

1- Porter une grande casserole d'eau salée à ébullition. Quand l'eau bout, y jeter les coquillettes et les cuire le temps indiqué sur le paquet à compter de la reprise de l'ébullition.

2- Pendant ce temps, découper les ailes et les cuisses du poulet en lanières (garder les blancs pour une autre recette).

3- Faire chauffer le jus du poulet rôti dans une casserole et y mettre les lanières de poulet à réchauffer.

4- Cinq minutes avant la fin de la cuisson des coquillettes, jeter les petits pois encore surgelés dans l'eau et les cuire avec les coquillettes. Égoutter soigneusement.

5- Verser les petits pois et les coquillettes en dôme dans un plat creux. Assaisonner et mélanger. Coiffer avec le jus et les lanières de poulet.

6- Servir chaud, accompagné par exemple de comté fraîchement râpé.

FAÇON RISOTTO MASCARPONE **&** CITRON

10 MIN DE PRÉPARATION - 10 MIN DE CUISSON

POUR 4 PERSONNES

300 g de coquillettes
crues
80 g de mascarpone
2 cuillerées à soupe
de lait
1 citron
1 cuillerée à soupe
de poivre vert
sel

1- Prélever le zeste du citron puis le couper en petits morceaux. Presser le citron.
2- Cuire les coquillettes comme indiqué sur le paquet, puis les égoutter.
3- Dans une casserole, faire fondre le mascarpone avec le lait en remuant sans arrêt. Ajouter le poivre vert concassé et le zeste de citron, saler.
4- Verser les coquillettes dans la casserole avec le jus du citron. Rectifier l'assaisonnement si besoin. Réchauffer à feu doux en remuant pour bien napper les pâtes. Servir chaud avec un bol de parmesan râpé par exemple.

FAÇON RISOTTO ASPERGE & ROQUETTE

15 MIN DE PRÉPARATION - 15 MIN DE CUISSON

POUR 4 PERSONNES

250 g de coquillettes
crues
1 botte d'asperges vertes
15 cl de crème fraîche
liquide
1 poignée de roquette
60 g de parmesan râpé
1 gousse d'ail
1 botte de basilic
huile d'olive
vinaigre balsamique
sel, poivre au moulin

1- Porter une grande casserole d'eau salée à ébullition et y
mettre les coquillettes à cuire le temps indiqué sur le paquet.
2- Pendant ce temps, rincer les asperges. Couper les pointes
à taille égale et débiter les tiges en tronçons. Les cuire à la
vapeur.
3- Placer la moitié des tiges d'asperges cuites dans le bol
d'un robot avec la gousse d'ail, quelques feuilles de basilic
et de roquette, 2 cuillerées à soupe d'huile d'olive, saler
et poivrer. Mixer. Ajouter la crème et mixer à nouveau.
4- Verser dans une casserole et chauffer doucement.
5- Ajouter les coquillettes, mélanger. Laisser la crème réduire
à feu doux.
6- Lorsque la crème nappe bien les coquillettes, ajouter
les tronçons de tiges d'asperges réservés et le parmesan râpé.
Mélanger.
7- Répartir la roquette dans quatre assiettes creuses et arroser
d'un trait de vinaigre balsamique.
8- Ajouter les coquillettes et décorer de pointes d'asperges.
9- Parsemer de basilic ciselé, donner quelques tours de poivre
et servir.

FAÇON RISOTTO CREVETTES & FENOUIL

15 MIN DE PRÉPARATION - 20 MIN DE CUISSON

POUR 4 PERSONNES

250 g de coquillettes crues

250 g de crevettes roses décortiquées

2 bulbes de fenouil

15 cl de crème fraîche

2 échalotes

4 cuillerées à soupe de vin blanc sec

½ botte de ciboulette

huile d'olive

sel, poivre au moulin

1- Porter une grande casserole d'eau salée à ébullition et y mettre les coquillettes à cuire le temps indiqué sur le paquet.

2- Pendant ce temps, laver les bulbes de fenouil et les couper en fines tranches.

3- Éplucher et hacher les échalotes. Les placer dans une sauteuse avec 2 cuillerées à soupe d'huile puis les faire blondir. Ajouter ensuite les tranches de fenouil et le vin blanc. Saler et poivrer.

4- Mélanger et laisser réduire en compote à feu doux. Ajouter un peu d'eau en cours de cuisson.

5- Quand le fenouil est confit, verser la crème, mélanger et faire réduire.

6- Égoutter soigneusement les coquillettes et les verser dans la crème de fenouil. Mélanger. Saler et poivrer.

7- Ajouter les crevettes, mélanger et réchauffer quelques instants.

8- Parsemer de ciboulette ciselée, puis servir chaud.

42

FAÇON RISOTTO ANCHOIS & AMANDES

15 MIN DE PRÉPARATION - 15 MIN DE CUISSON

POUR 4 PERSONNES

300 g de coquillettes crues

2 petites boîtes d'anchois à l'huile

15 cl de crème fraîche

80 + 20 g de parmesan râpé

60 g d'amandes effilées

sel, poivre au moulin

1- Porter une grande casserole d'eau salée à ébullition et y mettre les coquillettes à cuire le temps indiqué sur le paquet.

2- Pendant ce temps, mixer finement le contenu d'une boîte d'anchois égouttés avec 80 g de parmesan et la crème fraîche. Verser ensuitedans une casserole.

3- Dans une poêle à revêtement antiadhésif, faire griller les amandes à sec.

4- Égoutter soigneusement les coquillettes, les verser dans la crème d'anchois, puis mélanger. Faire réduire la crème à feu doux.

5- Écraser grossièrement à la fourchette le contenu de la seconde boîte d'anchois. Quand la crème nappe bien les coquillettes, verser dans un plat creux.

6- Déposer joliment les anchois écrasés et les amandes effilés.

7- Servir aussitôt, accompagné de parmesan râpé.

FAÇON RISOTTO SAUMON FUMÉ & TOMATES

15 MIN DE PRÉPARATION - 15 MIN DE CUISSON

POUR 4 PERSONNES

300 g de coquillettes crues

200 g de tomates entières en boîte

250 g de saumon fumé

15 cl de crème fraîche

2 cuillerées à soupe d'oignons hachés

huile d'olive

jus de citron

aneth frais

sel, poivre au moulin

1- Porter une grande casserole d'eau salée à ébullition et y mettre les coquillettes à cuire le temps indiqué sur le paquet.

2- Pendant ce temps, placer l'oignon haché dans une casserole avec 2 cuillerées à soupe d'huile d'olive et le faire blondir à feu doux.

3- Verser les tomates égouttées sur l'oignon, saler et poivrer, mélanger et faire réduire à feu doux en remuant régulièrement.

4- Ajouter la crème fraîche et laisser épaissir à feu doux en mélangeant de temps en temps.

5- Égoutter soigneusement les coquillettes et les verser dans la crème de tomates réduite. Mélanger.

6- Couper le saumon en morceaux et l'incorporer au mélange.

7- Arroser de quelques gouttes de jus de citron, parsemer d'aneth ciselée et servir chaud.

GRATIN AU FOIE GRAS

15 MIN DE PRÉPARATION - 10 MIN DE CUISSON

POUR 4 PERSONNES

300 g de coquillettes
crues
150 g de foie gras de
canard mi-cuit
80 g de comté râpé
1 cuillerée à café de fond
de volaille
sel, poivre au moulin

1- Porter une grande quantité d'eau salée à ébullition dans
une casserole. Ajouter le fond de volaille et les coquillettes.
Mélanger. Cuire le temps indiqué sur le paquet.
2- Égoutter les coquillettes et préchauffer le gril du four.
3- Verser les coquillettes dans la casserole avec 100 g de foie
gras coupé en morceaux. Faire fondre à feu doux en remuant
sans arrêt. Saler et poivrer.
4- Verser les coquillettes dans un plat à gratin. Parsemer
les 50 g de foie gras restant en morceaux. Mélanger.
5- Couvrir de comté râpé et placer sous le gril du four pour
faire dorer.
6- Servir avec une mâche aux noix par exemple.

GRATIN POTIRON & MIMOLETTE

20 MIN DE PRÉPARATION - 20 MIN DE CUISSON

POUR 4 PERSONNES

250 g de coquillettes
crues
300 g de potiron
1 cuillerée à café
de cumin en poudre
120 g de mimolette râpée
1 litre de lait
40 g de beurre
sel, poivre au moulin

1- Porter une grande casserole d'eau salée à ébullition.
Éplucher la tranche de potiron et couper la chair en morceaux.
Mettre à cuire 20 minutes.

2- Verser le lait dans une casserole, saler et porter à ébullition.
Verser les coquillettes et baisser sur feu doux. Cuire le temps
indiqué sur le paquet puis égoutter en réservant le lait.

3- Verser les coquillettes dans un saladier, ajouter une belle
noix de beurre, la moitié de la mimolette râpée, saler et poivrer.
Mélanger.

4- Préchauffer le gril du four à 200 °C.

5- Égoutter soigneusement le potiron. L'écraser au presse-
purée en ajoutant un peu de lait de cuisson des coquillettes,
le beurre et le cumin. Saler et poivrer.

6- Verser la purée de potiron dans un plat à gratin et recouvrir
avec les coquillettes. Parsemer du reste de mimolette râpée
et de copeaux du beurre restant.

7- Enfourner sous le gril du four. Servir doré et chaud.

GRATIN DE CHOU-FLEUR SAFRAN & BÉCHAMEL

15 MIN DE PRÉPARATION - 25 MIN DE CUISSON

POUR 4 PERSONNES

250 g de coquillettes
crues
300 g de chou-fleur
80 g d'emmental râpé
40 g de beurre
40 g de farine
40 cl de lait
1 dosette de safran
sel, poivre au moulin

1- Porter deux grandes casseroles d'eau salée à ébullition.
Mettre dans l'une les coquillettes à cuire le temps indiqué
sur le paquet et, dans l'autre, le chou-fleur, séparé en petits
bouquets (15 minutes).
2- Égoutter soigneusement en réservant un peu d'eau
de cuisson du chou-fleur.
3- Faire fondre le beurre dans l'une des casseroles. Ajouter
le safran, mélanger puis verser la farine et remuer vivement.
4- Délayer petit à petit avec le lait, saler et poivrer. Ajouter
un peu d'eau de cuisson du chou-fleur. Faire épaissir à feu
doux 2 à 3 minutes.
5- Préchauffer le gril du four.
6- Verser le chou-fleur et les coquillettes dans la béchamel.
Mélanger et rectifier l'assaisonnement si besoin.
7- Verser dans un plat à gratin. Parsemer d'emmental râpé
et enfourner sous le gril.
8- Servir gratiné et bien chaud.

GRATIN AUBERGINES GRILLÉES & MOZZARELLA

15 MIN DE PRÉPARATION - 20 MIN DE CUISSON

POUR 4 PERSONNES

250 g de coquillettes
crues
300 g d'aubergines
grillées, surgelées
1 boule de mozzarella
½ bouquet de basilic
1 gousse d'ail
huile d'olive
sel, poivre au moulin

1- Porter une grande casserole d'eau salée à ébullition et
y mettre les coquillettes à cuire le temps indiqué sur le paquet.
2- Préchauffer le four à 200 °C.
3- Égoutter soigneusement les coquillettes. Les verser dans
un plat à gratin. Arroser de 2 cuillerées à soupe d'huile, saler
et poivrer. Écraser une gousse d'ail au presse-ail au-dessus
des coquillettes et parsemer de basilic ciselé. Mélanger.
4- Découper les tranches d'aubergines encore congelées
en morceaux ainsi que la moitié de la boule de mozzarella.
Les ajouter aux coquillettes, puis mélanger.
5- Répartir le reste de mozzarella en tranches sur les
coquillettes. Arroser d'un filet d'huile d'olive et enfourner
pour 20 minutes.
6- Servir gratiné et chaud.

GRATIN THON & TOMATES

15 MIN DE PRÉPARATION - 20 MIN DE CUISSON

POUR 4 PERSONNES

300 g de coquillettes crues
400 g de pulpe de tomates
200 g de thon à l'huile d'olive
60 g d'olives noires
50 g de chapelure
30 g de parmesan
1 gousse d'ail
30 g de beurre
sel, poivre au moulin

1- Porter une grande casserole d'eau salée à ébullition et y mettre les coquillettes à cuire le temps indiqué sur le paquet.
2- Verser la pulpe de tomates dans une casserole avec la gousse d'ail épluchée et écrasée au plat du couteau. Assaisonner. Faire réduire à feu doux.
3- Ajouter le thon à l'huile et les olives. Mélanger.
4- Préchauffer le gril du four.
5- Égoutter soigneusement les coquillettes et les répartir dans un plat à gratin.
6- Verser les tomates au thon dessus.
7- Mélanger la chapelure avec le parmesan. Incorporer le beurre en petits morceaux et pétrir avec les doigts.
8- Parsemer le plat de chapelure et enfourner sous le gril.
9- Servir doré et chaud.

GRATIN AUX DEUX CHÈVRES & ORIGAN

15 MIN DE PRÉPARATION - 20 MIN DE CUISSON

POUR 4 PERSONNES

300 g de coquillettes crues
250 g de chèvre frais
1 chèvre Sainte-Maur sec
2 cuillerées à soupe d'origan
huile d'olive
sel, poivre au moulin

1 - Porter une grande casserole d'eau salée à ébullition et y mettre les coquillettes à cuire le temps indiqué sur le paquet.
2 - Égoutter soigneusement les coquillettes et les verser dans un saladier. Ajouter le chèvre frais, 1 cuillerée à soupe d'origan, saler et poivrer. Mélanger et verser dans un plat à gratin.
3 - Préchauffer le grill du four.
4 - Couper le chèvre sec en rondelles et les répartir sur les coquillettes. Parsemer d'origan et arroser d'huile d'olive.
5 - Enfourner sous le gril chaud pour faire fondre et dorer.
6 - Servir chaud.

PARMENTIER DE COQUILLETTES

15 MIN DE PRÉPARATION - 20 MIN DE CUISSON

POUR 4 PERSONNES

250 g de coquillettes
crues
300 g de viande de bœuf
hachée
1 cuillerée à soupe
de moutarde forte
1 oignon
80 g de comté râpé
2 cuillerées à soupe
de crème fraîche épaisse
1 œuf
huile d'olive
sel, poivre au moulin

1- Porter une grande casserole d'eau salée à ébullition et
y mettre les coquillettes à cuire le temps indiqué sur le paquet.
2- Faire chauffer 2 cuillerées à soupe d'huile dans une poêle
à revêtement antiadhésif. Éplucher et hacher l'oignon puis
le mettre à blondir dans l'huile chaude.
3- Mélanger la viande hachée avec la moutarde, saler
et poivrer. La mettre dans la poêle et mélanger sans arrêt
pour la cuire selon votre goût, puis la verser dans un plat
à gratin.
4- Préchauffer le gril du four.
5- Égoutter soigneusement les coquillettes. Les arroser de
2 cuillerées à soupe d'huile, saler et poivrer. Mélanger
et répartir sur la viande.
6- Dans un bol, casser l'œuf, fouetter et ajouter la crème
fraîche puis le comté râpé. Saler et poivrer. Mélanger
et verser sur les coquillettes.
7- Enfourner sous le gril chaud pour faire dorer.
8- Servir gratiné et chaud.

LES SUCRÉS

Pour finir le repas en beauté et surprendre tout le monde,
tester les coquillettes sucrées !

COQUILLETTES FRAISES POIVRÉES

10 MIN DE PRÉPARATION & CUISSON - 30 MIN DE REPOS

150 g de coquillettes cuites, 300 g de fraises,
1 yaourt nature, jus de 1 citron, 2 c. à s. de
sucre, 2 c. à s. de sucre glace, poivre

1- Laver et équeuter : fraises.
2- Mixer en coulis : 250 g de fraises + yaourt
+ sucre + 1 pincée de poivre.
3- Réserver au frais 30 minutes.
4- Mélanger : coquillettes cuites + citron.
5- Couvrir avec : coulis de fraises + fraises +
sucre glace. Servir chaud ou froid.

COQUILLETTES CANNELLE

15 MIN DE PRÉPARATION & CUISSON

100 g de coquillettes crues, 30 g de crème
fraîche, 30 cl de lait, 6 jaunes d'œufs, 2 c. à s.
de cannelle, 6 c. à s. de cassonade

1- Cuire dans moitié lait, moitié eau :
coquillettes.
2- Mélanger et porter à ébullition : lait +
crème + cannelle.
3- Fouetter et ajouter à la casserole : jaunes
d'œufs + sucre. Fouetter sans arrêt, la
sauce ne doit pas bouillir.

4- Incorporer et mélanger : coquillettes.
5- Répartir dans ramequins et dorer au gril.

COQUILLETTES CHOCOLAT NOIR

6 MIN DE PRÉPARATION & CUISSON

150 g de coquillettes cuites, 200 g de
chocolat noir pâtissier, 30 cl de crème fraîche

1- Faire fondre à feu doux : 180 g de
chocolat en morceaux dans la crème.
2- Verser et mélanger : coquillettes.
3- Servir avec : chocolat en copeaux.

COQUILLETTES CARAMEL BEURRE
SALÉ 12 MIN DE PRÉPARATION & CUISSON

150 g de coquillettes crues, 30 cl de crème
fraîche, 100 g de sucre en poudre, 100 g
de beurre, 1 pincée de fleur de sel

1- Cuire dans moitié lait, moitié eau :
coquillettes.
2- Chauffer à feu doux : crème + sucre.
3- Incorporer : moitié du beurre.
4- Laisser bouillir pour obtenir un caramel.
5- Ajouter : reste de beurre + sel.
6- Ajouter et chauffer les coquillettes.
7- Servir bien chaud.

SHOPPING

Jeannine Cros, 11, rue d' Assas 75006 Paris
Cuisinophilie, 28, rue du Bourg-Tibourg 75004 Paris

Stylisme : Virginie Cipolla
Relecture et mise en page : Aurélie Legay

© Hachette Livre (Marabout) 2011
ISBN : 978-2-501-07321-9
40-7678-2/03
Achevé d'imprimer en octobre 2011
sur les presses d'Impresia Cayfosa, Espagne
Dépôt légal : novembre 2011

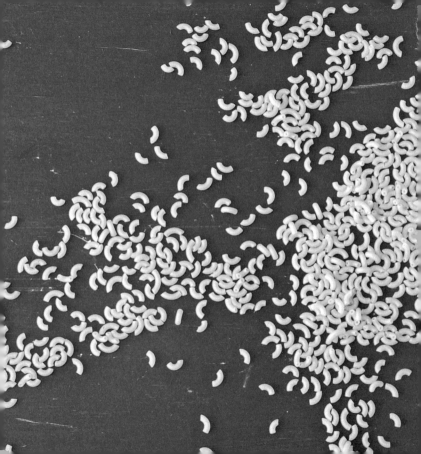